굿모닝, 삐에로

박종명 시집

서정시학 시인선 215

서정시학

제 몸 다 허물어지며
웃고 있는 저 마음
햇살 아래 한상 가득이다

—「볼 패인 꽃사과」에서

서정시학 시인선 215

굿모닝, 삐에로

박종명 시집

서정시학

시인의 말

어머니의 어머니가 낳은 온기로
온 마음 다하여 세우는 일
머물고 싶은 세상을 향해
소모하는 시간이고 싶다.

단순하면서도
힘차게 이어지는

2024년 봄
박종명

차 례

2부

3부

4부

1부

눈 먼 꽃

낮에 뜬 달 쳐다보다가
툭 실핏줄 터져

고개 젓고 발싸심하는
분홍낮달맞이꽃

줄기 끝
흔들리는 꽃 사이로
치렁치렁 눈물을 채우는 건
낮달일지도 모르는데

보일 듯 잡힐 듯
애닮은
눈 먼 꽃

자기 공명 영상

난파선을 향해 보내는 신호

파도를 잘게 부수다가
드릴로 갈아내다가

떠돌이 물체들
낱낱 가려지고
출항과 만선의 기억이 해체되려는 순간

저녁 준비하는 어머니
마늘 다지는 소리

퍼뜩
매운 정신줄 잡는다

볼 패인 꽃사과

"밥 먹어라."

새벽상 차리며 하루를 시작하던
어머니 목소리

단맛 다 퍼주고
날것들 안아준다

새들이,
개미와 벌이
목젖까지 간지럽힌다

제 몸 다 허물어지며
웃고 있는 저 마음
햇살 아래 한상 가득이다

동대문 임대주택 C씨

나는 투명인간입니다
전원이 꺼져갑니다

방구석
빗장 걸고 또 하루 잠깁니다

봄이 와도 햇살 들지 않는 창문 안
방전된 껍질을 내려놓습니다

'연락 달라'는 쪽지만
나를 찾고 있습니다

나는 아직 여기에 있는
투명인간입니다

안녕, 파킨슨

사진 속 펼쳐진 책이 말을 걸어 온다

가운데 책장이 둥글게 말아져 만나니 딱 하트 모양이다
하트 갈피 사이 박주가리 씨앗이 솜털 같은 날개를 펴고 있다
책과 씨앗 외에 아무것도 등장하지 않는 사진이
조곤조곤 이야기한다

안녕, 파킨슨
느리고 둔하게 멀어진 일상이지만
책갈피 사이 마음을 모으니 흔들리지 않는 중심이 생긴다고
마음이 기울 때 두 손을 잡으라고

주체할 수 없이 떨리는
내 손 아닌 남의 손 쥐고
밤새도록 공들인 숨결이
탁자 위에서 호흡을 고르고 있다

펼쳐진 책갈피마다 내려앉은 마음
미완의 설렘*으로
날갯짓하는
누군가의 깊숙이 숙인 아침 인사를 듣는다

* 파킨슨 병을 앓고 있는 하트작가 유병완 사진전(2018. 10. 서울 충무로 갤러리 브레송).

길고양이도 기운다

어미는
새끼에게 무단으로 앉은
봄빛을 핥는다

발랑 누워
통통한 젖꼭지를 물리고
지그시 눈을 감는다

무장해제하는 봄빛에
자꾸 눈물이 난다

몬트리올 사람

이민자의 고향
생로랑(St.-Laurent) 강
몬트리올에 닿아서야 옷깃을 편다
벼랑 물길에 찢긴 자락
헝클어진 머리 펼치며

버스비 아끼면 국화빵이 두 개
밀린 등록금 빈손에 바람 이는 소리
한강은 기억하고 있을까

해산 후 미역국 끓여먹고 홀로 걷던 생로랑 언덕
바람은 영어와 불어가 섞인 억양으로 낯설게 불었다

먼길 돌아 닳아진 이름
생로랑강에 몸을 싣고
바다를 향한다

꽃무늬 지팡이

벽에 기댄 지팡이
선 채로 잠들었다

어디든 갈 수 있을 것 같던
꽃무늬 옷

철쭉꽃 피었다 지고
길고양이 배 불렀다 홀쭉해지고
빨간 앵두 소낙비에 젖는 날

주인 잃은 지팡이
봄 지나 여름
꿈결 속 빗소리
귀만 대고 있다

오지탐험

식도에서 대장까지
내밀한 속을 훑는 오지 탐험

고갯마루에 올라서자
동해의 푸른 바다
까무룩 잠이 든다

파도에 부대껴
가끔은 역류하기도 하는
정체불명의 그림자
붉은 신호등을 켠다

미처 뚫고 나오지 못한 오래된 얼룩
고개들고 숨통을 죈다

몇 번씩 전화하며 달려온 아들의
회사 그만두고 당장 엄마랑 운동하고 싶다는
말 한 마디

막힌 속이 뚫린다

한숨 쉼

소나기
우선 멈춤한 하늘

굽은 허리 펴며
먼지 낀 창문 열고
셔터를 누른다

찰칵찰칵
하늘빛 들여놓는다

쌍무지개 속에
잠시 한숨

다른 별로 보낸 모르스부호

– 故 분당 고3 김군을 추모하며

문제집 속 자신의 문제를 찾다 탈진한 채
현금 결제로 버스를 탔다

주인 잃은 핸드폰이 책상에서 방전되고
그의 신호를 알아채지 못하고 겉돌 때
버스는 종점에 닿았다

반듯하게 누워서 그는
읽히지 못한 무전을
다른 별로 보냈다

딱 한 번은 읽었어야 했던
너의 모르스부호

평행선

시간은 멈추지 않았다

신발장 안
나이키 조던 운동화
출구를 닫은 채

"엄마! 행복하게 지내. 난 잘 있다구."

한 줄기 쪽지
눈물 한 방울

어머니는 연신
아들의 운동화를 따라
기억을 찍는다

삶과 죽음을 넘어
나란히 반짝이는*

---

* 아트스페이스 애니꼴 기획전, 〈향태+동열 병치하다!〉.

무중력의 봄

단비에
꽃잎이 쑤욱 열리고
소리 없이 말을 건다

제각각 입 모양
눈 비비고 보아도
도통 들리지 않아

온라인으로 봄꽃 접속한다

창밖, 사월
너와 내가
흩어지고 있다

탄원서

어쩌지요

놀이터에서 아이가 혼자 놀고
유모차에 강아지가 타고 있어요

아이의 재롱 소리 들리지 않고
한 아이를 온마을이 키우자는 말은 날아가고
아이 낳을 사람들 혼밥 혼술에 익숙해지고 있어요

아이가 살아갈 내일보다
내 한 몸 붙일 오늘이 팍팍합니다

우리 세상 꽃 피우던
아이들 웃음소리
지구 탈출

2부

굿모닝, 삐에로

손녀,
오늘은 뭐야?
과일 접시 뚜껑을 여니
하하하 딸기코 삐에로가
졸린 눈으로 웃고 있다
하트 모양 감꽃 위
사과 나비, 블루베리 더듬이
새콤달콤 아침 인사
어제는 바나나 기차가
까만 바귀 달고
블.루.베.리 달렸는데
와 신기하다
삐에로 눈이 커졌다

할머니,
오늘은 뭘 꾸미지?
세모 토끼, 네모 유리창, 동그라미 애벌레
눈 비비고 기대하는 손녀의 아침
환하게 밝아오기를
두근두근 설레는 할머니 눈도
삐에로

완도산 진도산

완도와 진도 미역을 섞어 미역국을 끓인다
초록빛과 검은 갈빛 섞이지 않는다

차로 한 시간 거리 남짓
햇살과 바닷바람이 달랐을까
바다 미역조차 완도산과 진도산이 다른데

서로 다른 길을 너무 오래 걸어왔을까

정치와 종교 이야기 접고
수다만 떨다가 어색하게 돌아선
캠퍼스

결기는 다스리는 것이 아니고
속열을 버리고 풀어져야 한다고
완도와 진도가 한 솥에서
수십 년째 몸을 틀며
뒤섞이고 있는데

이스탄불 고양이

어떤 사람들은 우리를 개냥이라 불러요. 낯선 사람도 피하지 않아요. 꼬리를 힘껏 세우죠. 습습습 밥 챙겨주는 사람만 많은 줄 알았는데요. 쓰다듬으며 귀엽다고 사진 찍을 때는 언제고 우리를 손가락질한답니까? 우리가 할 일 안하고 서로 싸우기라도 한답디까? 적어도 우리 구역에 맡겨진 생선은 깔끔하게 처리하고 있답니다. 기분이 좋았다가 나빴다가 제멋대로 행동하는 양아치는 더더구나 아니고요. 사원 안에 들어갈 때나 담장 위에 앉을 때나 도도한 품위를 지닌 고.양.이.랍니다. 앞에서 웃고 뒤에서 구시렁거리는 말씀은 이제 그만. 야옹

데스 마스크

스페인 카탈루냐의 작은 마을
옥수수 모양의 첨탑 성당*이 바라보이는
병원 침상

생각에 잠긴 고요함
석고로 본떠진
거장의 마지막 순간

한 손에 잡힐 듯 작아진 얼굴
하늘과 땅을 잇는 고행의 시간
종소리 들리고

감은 두 눈이
깊다

* 스페인 건축가 안토니 가우디가 설계하고 34년 동안 건축을 책임진 사그라다 파밀리아 성당(Basílica de la Sagrada Familia), 1882년 착공하여 2026년 완공 예정이며, 가우디는 1892년 설계를 착수했다.

기침 소리

마른 벽에 붙박힌
열두 달
가는 허리 못

달력 갈피마다
가슴에 희끗희끗 쟁이며
어머니 숨죽인 시간

새해 첫날
지난 달력 떼어내다 들은
짧은 쇳소리

내 친구 명자

청계천 물소리 듣다 천변 책방 앞 기웃거리던 꽃
봄바람에 붉게 웃는다

맏딸인데 진학이 가당키나해?
혼자 입학원서 내고 입학금 보증 내서 대출받은 일.
으레 그런 줄 알았지.
자식 셋 키우던 때가 젤로 힘들었어

제 울타리 환하게 만드느라
방사선 쬐면서도
병원 앞 한달살이 살만하다고

가슴 속 머금은 꽃망울
짙붉은 웃음으로 당차게 피워올리는
내 친구 명자

저기, 붉은 꽃이 웃고 있다

꼽등이와 모과

뜰에 떨어진 모과를 주워 난간 위에 올려놓고, 잠시 한눈 판 사이, 꼽등이가 긴 다리 하나를 슬쩍 모과 위에 걸쳐놓고 있다.

모과 향에 취해 한껏 부푼 꼽등이, 지하에서 지상으로 뛰어올라 오롯이 차오른다

울퉁불퉁 신맛 하나 어디로 갈지
둥근 달이 때맞추어 나와 지켜보고 있다

두 살, 아흔여섯 봄마중

두 살배기 증손녀
아흔여섯 노할머니
눈마중

봄 아가
봄 할머니

첫 봄날
마지막 봄날

눈망울
굽은 기억도 펴지는
봄날, 봄마중

시린 아이

하얀 꽃잎 홀로
길 나서

기댈 곳 없는 속
칼바람 가르고

목마름의 눈빛
꿈꾸듯 올찬

시린 아이
겨울 장미꽃

비눗방울

산을 비추고
들꽃을 담고

부글부글 끓는 멍울
얇게 저며 피워올린다

손 닿으면 터질 듯
다 던져 자유로운 몸
딱 한 번이어도 좋을
무지개 뜬다

클라크스빌* 어미 사슴

담장 밖
어미 사슴이 새끼를 바라보다
숲으로 들어간다

새끼 사슴은 아랑곳없이 풀을 뜯고
저희들끼리 부비며 장난질이다

빗방울이 떨어지자
새끼 하나 도로쪽으로 뛰어가버린다

숨죽인 고요

어미가 달려나와 새끼쪽으로 가다가
나와 눈이 마주쳤다

'그 마음 알아요'

남은 새끼 핥아주며
연신 도로를 쳐다보는
어미의 빈 눈

---

* 클라크스빌(Clarksville): 미국 테네시주의 전원도시.

고무장갑

손과 손 하나가 되어
상처 난 부위 감싸며
먼지 속 전선을 뚫고

찢어지고 해져서
묻힐 때까지 나선다

여린 손 잡고
내일도 살아보자

고된 하루 젖은 속
뒤집어 말리고 있다

백년초

가시 손바닥
거센 파도와 비바람 훑고

바위틈에
숨불을 켠다

메마른 꿈
마을의 전설이 되고

잠 못 드는 머리맡
어느 바닷가 마을
요요한 달빛

선홍빛 토혈을 맺는다

빗자루

영글이 누리길
계단과 계단 사이에 기댄 빗자루
쏟아지는 낙엽 소리 듣는지
느긋하다

눈 감은 듯 졸고 있는 듯
뼈대만 남은 나무
저물도록
늦가을 나고 있다

말문이 트일 때

아가야
우렁찬 울음으로
첫 숨을 쉰 것처럼

입술 모아
똑똑똑
말문 두드려 보렴

눈짓, 손짓만으로 반짝임
어찌 다 풀어놓을까

너만의 별, 숨
불어 보렴

톡 터지는
첫 인사

새 아침 틔워가는
아가야

3부

하늘 쪽배

황금 삼베 옷에
스물네 장 꽃잎 이불 덮고
향나무 쪽배 탄 어머니

산을 옮기고 강물을 끌고서라도
기어이 피워냈던
자손들에 둘러싸여
이만하면 되었다고
툭 손 놓았다

잡아끌던 증손녀 어린 손
어찌 떨치고
붙들던 기억 하마 잊고
홀연히 길 떠나는가

사십 성상 홀로
그리던 지아비 만나는
하늘길

매듭 없는 새 옷 걸친 어머니
하얀 눈발 날리는 하늘
쪽배 타고 건너간다

락희거리

탑골공원 담 끼고
이발 표시등
춤추듯 돌아간다

옛날 영화 이천원
레코드판
추억 속으로 들어간다

탁주 한 사발, 국밥 한 그릇
빈속에 우겨넣고
장이야 멍이야 쉰 목소리
오늘도 산 목숨 피었다고 나팔 부는데
훈수 두던 송해 선생 보이지 않고
나팔꽃 인생 노래가락만 흐른다

등 기대며 덩굴 한 줄기 감아올리고
저녁이면 오므라지는 나팔꽃처럼

넌출넌출
주름살 가득 웃음짓는
락희 세븐 거리

침묵의 마을

습지 위 뼈대만 남은 출렁다리 위
경계근무 서던 병사들처럼
가마우지 떼가 물고기를 노리고 있다

밀고 밀리고 빼앗기고 빼앗고
붉은 피로 물든 땅
무성하게 자란 갈대숲
쉿!
소문을 잠재운다

철원 용양보 DMZ
사라진 김화 마을

무표정한 침묵
녹슨 철조망 사이
겨울 칼바람 타고
날아온다

북두에 의지한 누각에서

북향집
독서처

작아야 들리는 가르침, 읽고 또 읽으며 길을 열었다
북두성 된 정조대왕 할아버지 만나 퍼뜩 정신이 난 걸까

궁궐 깊숙한 곳
단청 없는 작은 문 활짝 열어
초록 숲 들여놓고
숲에 이는 바람, 시간을 배우다가

창덕궁 첩첩 전각 바라보며
북두의 길을 찾던 효명세자

천하가 품지 못한
오똑한 콧날
꿰뚫는 눈빛
북두보다 더 큰 꿈을 품었을까

팬데믹, 하루

눈을 뜨자마자
핸드폰을 연다

자막으로 읽는
너와 나의 거리

네가 울고 있는지
웃고 있는지 몰라

길고양이 야옹 소리
적막한 시간을 핥는다

꿈속에서도
날아드는 택배

낯선 손

그레이하운드 버스는 달리고
낯선 바위산과 너른 평원에 손짓하다

유품 정리하다 만난
차창 밖으로 내민 어머니의 손
칠십 평생 젖은 땀

이국의 첫 햇살, 바람 속
세월이 쨍하게 마르고 있었다

웃음꽃

꽃 중의 꽃은
아가 웃음꽃

환하게 벙글어오는
새벽꽃

입꼬리 스르르
아흔다섯 증조할머니 방
동심꽃

달래며 삼켰던 것들
간질간질 가득 꽃밭

꽃몸살

남도 화훼마을
수국과 작약

농가의 마음
직배송

턱 괴고 보는
겹겹 눈물 작약

새 둥지를 트는
목마른 수국

마음과 마음
꽃몸살

그늘의 그늘

앉지도 서지도 못해 휘어진 하루
길잃은 말들이
켜켜이 포개진다

다가설 수 없던 것들이
그림자로 다가와서 눕는다

나무 그늘이
사람들의 그늘을 어른다

정발산 놀이터

아이는 혼자 놀고
유모차에는 강아지 두 마리

아이의 재롱 소리 들리지 않고
점점 커지는 놀이터

혼자 타는 시소
녹슨 미끄럼틀

그네를 미는 바람결
아이들 웃음소리
저녁 먹으라는 엄마 목소리

거미는 인증샷이 필요없다

나뭇가지를 진득하게 돌고 있다
지켜보는 사람 아랑곳없이
내뿜고 펼쳐낸다

일정한 속도
서두르지 않는다

한 걸음에 생각 한 번
묻고 답하듯
길 촘촘하다

종일토록 틀어앉아
홀로 삭이던 밤
뒤척이던 사람들의 숨은 이야기
은빛으로 자아내는 거미

한 줄 두 줄
엮이는 시간

시 익는 마을

— 창원 김달진 시인 생가에서

청시靑柹의 시인은 가도

홍시는 시월의 언어로 달려있다

푸른 하늘 아래

떫고 시큼한 생각을 물고

가을바람이

작은 뜨락 휘돌아 지나가는

소사리 마을

초가지붕 참새 떼

이국에서 온 시인들의 가슴에

홍시가 터진다

손때 묻은 바이엘 교본

꼬마 피아니스트의 꿈이 숨바꼭질하는 책

손가락 번호 지워놓은 얄미운 책

틀릴 부분 콕 집어 연필로 써놓은 고마운 책

민준이, 선우, 유주가 수없이 들락거린 안마당

기적

엄마 된 딸이
척척 젖을 물린다

아가 눈 속에 자라는
살가운 세상

경이로운 오늘

4부

숨 멈출 때

흡! 눈 비비며 숨 멈출 때

꽃 지는 소리 닫힌 창문 적실 때

꽃잎 받던 눈가에 그리움 고일 때

꽃 진 자리에 햇살 젖니 돋을 때

미완의 서재

립스틱, 귀걸이 한 짝, 담배꽁초 4,213개,
첫사랑을 스쳐 간 물건을 모은
케말씨의 순수 박물관*
처절하고 집요한 위로

필기구와 잔돈 통, 안경,
단어 428,652개, 저서 185권,
쓰고 지우며 경계를 넘어선
1주기 추모전, 이어령의 서序

나의 서재,
미완의 시 한 편

* 순수 박물관 Musumiyet Müzesi: 튀르키예 소설가 오르한 파묵(Orhan Pamuk)이 노벨문학상 수상 이후 쓴 첫 장편소설 『순수박물관』(2008년)이자, 소설 속 물건을 진열한 박물관으로 이스탄불에 소재함.

만해 선생

옥중 청년의 눈빛, 청청한
시월 남한산성
먼 하늘 그리메

마취 없이 생인손 고름 짜내며
떠올렸던 따르고픈 기운

“만해 선생님은 뼈를 깎는 수술에도
마취 없이 신음 한 번 내지 않았답니다.”

문학소녀셨군요
의사의 너털 웃음

고통을 마주하는 순간
만해를 만났다

빛의 기억

시월 신바람으로
만해 선생 만나러 간다

목마른 둔재鈍齋*

그는 늘 목이 마르다
만년설수를 가슴에 채우고도
헛헛하여

새벽녘 터오는 빛
반듯하게 흡입하고
길을 찾아 나선다

길 저 너머 길
발걸음을 재게 옮겨도
가늠되지 않는 길

들숨과 날숨으로 기운을 돋고
벼린 끝 다듬어
우직하게 길을 낸다

13년 6개월

흙 옮겨 산을 움직이니
동토凍土에 봄길이 드러난다
억눌렸던 의문들

* 둔재 박영희 교수 '성장 인문학 CEO 토요편지 제700호' 발행 축하시.

돌무지 다지며 함께 가는 길
누군가 시작했을 돌무덤에
돌멩이 하나 더 올린다

인문학 아티스트
둔재鈍齋 박영희
오늘도 벌컥벌컥 강물을 들이킨다

노을 춤
— 아, 이어령 선생님

붉디붉은 해님이
노을빛 퍼지는 윤슬 바라보며
떨어지는 태양을 향해
백발의 거인이
걸어들어간다

왁자하게 내리는 빛 한소끔
크고 흰 두 손에 적셔
한 번 더 펼쳐보는
날개

기억하라고
마주하라고

노을 품속
환하게 웃으며
새처럼 날아오르는 손

코로나19 수칙

너와 나 사이에
부대끼지 않을 금 긋고
한 자락 간격 들이기

입술 꾹 다물고
눈짓으로만
서로를 읽기

낯선 시간이 얹혀
기우뚱거리면
고요히 쓰다듬어주기

오늘은
시 한 모금
서로를 마시기

가을 마법

은빛 휠체어 앉은
96세 어머니

새벽녘 머리단장하고 벼른
나들이

들릴 듯 말 듯
작은 손바닥 흔들며
떨어지는 잎새

어머니
새처럼 날아
기억 속으로 들어가셨나

요술 지팡이 쥐고
갈래머리 풋풋한 시절로
사뿐 들어서셨나

한 소녀가
당싯당싯
가을을
물들이고 있다

안반데기*의 별

강원도 산속
옷깃 여미다가 보았지

밤새 겉잎 떨구면서
이만하면 되었다
어깨 좁힌 고랭지 배추
골바람 몰아치는 안반데기 언덕에서
볼때기에 찬 기운 받고 있다

눈 붙일 사이 없이 시달리면서도
별빛 놓지 않고 속을 채웠나

불면의 머리맡 촘촘히 지키는
푸른 신호등
별빛을 점화한다

---

* 안반데기: 강원도 강릉시에 위치한 해발 1,100m 고랭지 채소단지.

나도 봄나무

두 팔 벌리고 서서
봄비를 맞는다

마른 가슴
적시며

두 다리를 타고
착지한 빗물
발뒤꿈치가 잠긴다

발바닥이 간지럽다

굳은살 헤집고
봄꽃 내는 발싸심

불면不眠 소나타

팽팽하게 느슨하게
흐르는 달빛 되감다가
몰아치는 불면의 밤

무너진 시간더미에 올라 앉아
먹먹한 거리를 톺아본다

비울 것 많고 남은 정 겨운데
성근 머리 올올 감기는 달빛

길 잃은 마음 잠시
달빛을 긷는다

찐 나를 만나다
— 어쩌다 작가 사진전에서

안개 핀 거울 앞에서
오늘을 질문하는
나와 내가
기우뚱
둘러앉아 있다

먼 길 돌아와 쌓인
겹겹 이야기
먹먹하게 바라보며,

불러보는 내 안의 나

번쩍 눈 떠지는
주름 편 웃음소리

옷장을 열고

추억도 착착 개어
떠나 보낸다

철철이 꾹 다문 시간
날아간다

옷장에 갇혀 숨 막힌
나를 불러 입고

홀씨처럼
새첩게 간다

정월 아침 움터오는

어머니 털신이 놓였던 자리
분홍 캐릭터 신발

두 손 모아 조아리고 귀 기울여도
눈 쌓인 길 타박타박
멀어져가는 소리

어머니 꾹꾹 눌러 심었던 사랑의 씨앗
정월 아침 기운으로

아가 신발 소리 움터온다

창밖을 읽는 밤

공항 유리창 밖으로 나간
눈동자

계류장 차량에 편승
책장을 펴며
낯선 밤 견인한다

이국에서 노숙하는
뜬금없는 하룻밤

흘러가는 인생
한 번도 궁금하지 않았다고
우기다가

침 묻혀 책장 넘기다가
어느 꿈 모서리에 앉았다

해설

근원적 순수 원형을 찾아가는 서정의 기록

— 박종명의 시세계

유성호(문학평론가, 한양대학교 국문과 교수)

1. 감동과 전율의 순간을 담아낸 서정시의 한 모형

박종명 시인의 세 번째 시집 『굿모닝, 삐에로』(서정시학, 2024)는 뭇 존재자들이 이루어가는 근원적 존재 방식에 정성스럽게 귀 기울이면서 그것을 심미적으로 갈무리한 서정의 축도縮圖이다. 『사랑 한번 안 해본 것처럼』(심상, 2011), 『봄을 타나요』(심상, 2020) 이후 박종명 시인은 4년여의 시간을 격隔하여 감동과 전율의 순간을 담아낸 서정시의 한 모형을 우리에게 보여준다. 그만큼 그의 시편은 독자들의 기억이나 낭송의 편의를 도우면서 유력한 문화적 향수 대상이 될 만큼의 친화력을 띠고 있다. 가장 짧은 언어를 통해 시를 써가는, 언어를 적게 사용하면서도 역설적 확장성을 도모해가는 시인의 이러한 노력은 압축과 초월의 미학에 대한 집념을 견고하게 보여주는 것이 아닐 수 없을 것이다. 언어 과잉 욕

망을 충분히 경계하면서, 분별과 이성적 경계를 천천히 지워가면서, 시인은 사유와 감각을 응집하고 간접화하는 과정을 우리에게 단아하게 건넨다. 이때 독자들은 저마다의 경험적 부피를 통해 그 여백을 채워 읽게 되고, 이번 시집은 보이지 않는 여백을 통해 그 위상과 가치를 한껏 키워가게 될 것이다. 이제 그 미학적 세계 안으로 한 걸음씩 들어가 보도록 하자.

2. 존재론적 기원을 향한 영원성의 미학

이번 시집에서 박종명 시인은 자신의 가장 깊은 기억 속에 깃들인 존재론적 기원(origin)을 찾아 나서는 품을 먼저 보여준다. 이때 우리는 삶의 한 원형(archetype)을 탐색하려는 시인의 의지와 열망을 만날 수 있는데, 시인은 노경老境의 어머니에 대한 기억을 통해 이제 우리가 현실에서는 되돌릴 수 없는 순수 세계를 착색해간다. 아니 온몸의 직접성으로 겪었던 시간들을 충일하게 재현해간다. 이때의 기억이란 어떤 동일성에 대한 사유와 감각에 의해 구축되는 언어의 원리일 것인데, 시인은 어머니를 돌아보는 과정에서 시간 이면에 존재하는 파동들을 세밀하게 포착하여 그 낱낱 순간을 영원성의 미학으로 구축해간다. 시인이 그러한 회귀적 언어를 풀어놓는 공간이야말로 언젠가 한없는 빛을 뿌리던 지난날과 등가를 이루는 원초적 세계일 것이다.

은빛 휠체어 앉은

96세 어머니

새벽녘 머리단장하고 벼른
나들이

들릴 듯 말 듯
작은 손바닥 흔들며
떨어지는 잎새

어머니
새처럼 날아
기억 속으로 들어가셨나

요술 지팡이 쥐고
갈래머리 풋풋한 시절로
사뿐 들어서셨나

한 소녀가
당싯당싯
가을을
물들이고 있다

—「가을 마법」 전문

시의 주인공은 "은빛 휠체어 앉은/96세 어머니"다. 어느새 백수白壽를 바라보시는 어머니는 예전처럼 "새벽녘 머리단장하고" 나들이를 나서셨다. 그때 "들릴 듯 말 듯/작은 손바닥 흔들며" 잎새 하나 떨어지자 시인은 "새처럼 날아/기억 속으로 들어"가신 어머니 모습을 환각처럼 바라보고 있다. 잎새의 조락凋落과 새의 비상飛翔이 수직으로 교차하는 순간에 어머니는 "요술 지팡이 쥐고/갈래머리 풋풋한 시절로/사뿐" 들어서신 것이다. 그 마법을 통해 "한 소녀가/당싯당싯/가을을/물들이고" 있으니, 어머니는 가을 나들이를 통해 그 옛적 소녀로 돌아가는 회귀 과정을 치르신 셈이다. 두고두고 아름다울 이 시편을 통해 우리도 세상에서 "딱 한 번이어도 좋을"(「비늦방울」) 순간을 만나게 된다. 산뜻한 동화 한 폭이 '가을 마법'처럼 거기 걸려 있다. 다음은 어떠한가.

두 살배기 증손녀
아흔여섯 노할머니
눈마중

봄 아가
봄 할머니

첫 봄날
마지막 봄날

눈망울
굽은 기억도 펴지는
봄날, 봄마중

—「두 살, 아흔여섯 봄마중」 전문

황금 삼베옷에
스물네 장 꽃잎 이불 덮고
향나무 쪽배 탄 어머니

산을 옮기고 강물을 끌고서라도
기어이 피워냈던
자손들에 둘러싸여
이만하면 되었다고
툭 손 놓았다

잡아끌던 증손녀 어린 손
어찌 떨치고
붙들던 기억 하마 잊고
홀연히 길 떠나는가

사십 성상 홀로
그리던 지아비 만나는
하늘길

매듭 없는 새 옷 걸친 어머니
하얀 눈발 날리는 하늘
쪽배 타고 건너간다

—「하늘 쪽배」 전문

어느 봄날 "두 살배기 증손녀"와 "아흔여섯 노할머니"가 서로 눈마중을 하고 있다. "봄 아가"에게는 "첫 봄날"이고 "봄 할머니"에겐 "마지막 봄날"일지도 모른다. 그러나 서로 마주친 눈망울 속에서 이 봄날 봄마중은 "굽은 기억도 펴지는" 신생의 순간으로 몸을 바꾼다. 또한 시인은 그렇게 마지막 봄날을 마법처럼 지내신 어머니께서 "황금 삼베옷에/스물네 장 꽃잎 이불 덮고/향나무 쪽배" 타고 떠나신 시간을 기록하고 있다. 봄마중 함께 하던 증손녀 어린 손도 "이만하면 되었다고/툭" 놓으신 어머니는 "붙들던 기억 하마 잊고/홀연히 길"을 떠나신 것이다. 그 먼 길은 "사십 성상 홀로/그리던 지아비 만나는/하늘길"일 것이다. 그렇게 어머니는 "매듭 없는 새 옷 걸친" 채 "하얀 눈발 날리는 하늘/쪽배 타고" 하늘길을 건너가신다. 그 사이로 생애 "갈피마다/가슴에 희끗희끗 쟁이며/어머니 숨죽인 시간"(「기침 소리」)이 함께 흘러간다. 애잔하고 아름답고 또 오래고 오랠 것이다.

이처럼 박종명 시인은 어떤 간절함을 담아 그 간절함을 가능케 해준 존재론적 기원으로서의 어머니 모습을 부조浮彫하였다. 그것은 어머니의 아름답고 고단했던 삶을 반영한 실제적 기록이기도 하고, 상상의 원리를 통해 어머니를 자유롭고 가볍게 보내드리는 과정일 수도 있다. 이렇게 박종명의 시는 언어 생성을 통해 존재 생성을 이루어가는 과정을 보여주면서 동시에 서정시 창작의 제일의적 수원水源인 기억의 풍경을 아름답게 구현해간다. 나아가 자신의 경험적 구체를 환하게 보여주면서 이제는 그러한 시간을 되돌릴 수 없다는 사실도 우리로 하여금 깨닫게끔 해준다. 우리는 그 가파르고 아름다운 기억을 통해 그의 시편들을 깊은 실감으로 읽게 된다.

3. 근원적인 질서이자 힘으로서의 모성적 상상력

비록 우리가 강하고 크고 빠르고 새로운 것만이 살아남는 시대를 살아간다고 해도, 여전히 시인들은 부드럽고 소소하고 미욱하고 오랜 것들이 우리를 살아가게 한다는 점을 옹

호하고 노래해간다. 박종명 시인 역시 우리 시대를 구성하는 가장 근원적인 가치를 찾아 나서는 모습을 보여준다. 그 가운데 가장 원천적으로 탐구해가는 것이 '모성母性'의 원리일 터인데, 시인의 시선에 모성의 아름다움이 포착된 것은 그러한 오랜 믿음 때문일 것이다. 사실 우리의 역사는 몸 안팎의 폐허를 드물지 않게 가져다주었다. 성장제일주의와 물신숭배로 상징되는 이러한 흐름으로 우리는 분주하고 빠르고 새로운 것을 찾아다니면서 정작 중요한 흔적들을 잃어버리곤 했다. 그 폐허는 시간의 혹사 때문에 생겨난 것인데, 이때 '속도'를 물리고 '깊이'를 앞세우는 박종명 시의 상상력은 매우 주목할 만한 것이다. 모성의 힘이 그려가는 황홀감을 포착하고 표현하는 과정을 통해 그는 한결같이 시간에 대한 대안적 사유와 형상을 각인해간다. 그 과정에서 가장 미세하게 들려오는 소리에 귀 기울이는 것이다.

엄마 된 딸이
척척 젖을 물린다

아가 눈 속에 자라는
살가운 세상

경이로운 오늘

—「기적」 전문

어머니 털신이 놓였던 자리
분홍 캐릭터 신발

두 손 모아 조아리고 귀 기울여도
눈 쌓인 길 타박타박
멀어져가는 소리

어머니 꾹꾹 눌러 심었던 사랑의 씨앗
정월 아침 기운으로

아가 신발 소리 움터온다

—「정월 아침 움터오는」 전문

엄마는 아가와 함께 "아가 눈 속에 자라는/살가운 세상"을 온몸으로 나눈다. 예전에는 어린 딸이기만 했을 그 '엄마'는 아가에게 젖을 물리면서 "경이로운 오늘"을 '기적'처럼 만들어간다. 시인도 그렇게 할머니가 되어 새삼 모성의 역사를 쌓아올리고 있을 것이다. 그런가 하면 시인의 눈망울은 "어머니 털신이 놓였던 자리"에 "분홍 캐릭터 신발"이 가지런히 놓인 것을 바라보기도 한다. 세대를 넘어 이제는 "두 손 모아 조아리고 귀 기울여도" 잘 들리지 않는 "눈 쌓인 길 타박타박/멀어져가는 소리"가 있고, 어머니께서 심었던 사랑의 씨앗이 새삼 "정월 아침 기운으로" 살아나 "아가 신발 소리"로 이어지는 시간이 기운차게 다가온다. 어머니의 사랑이 아가에게 전달되는 그 흐름이 "굳은 살 헤집고/봄꽃 내는"(「나도 봄나무」) 순간으로 이어지고 마침내 "꽃 중의 꽃은/아가 웃음꽃"(「웃음꽃」)임이 증언되는 순간이 아닐 수 없다. 이러한 기운과 흐름은 어느새 다른 목숨들에게도 나타나고 있다. 다음 작품을 읽어보자.

"밥 먹어라."

새벽상 차리며 하루를 시작하던
어머니 목소리

단맛 다 퍼주고
날것들 안아준다

새들이,
개미와 벌이
목젖까지 간지럽힌다

제 몸 다 허물어지며
웃고 있는 저 마음
햇살 아래 한상 가득이다

—「볼 패인 꽃사과」 전문

언제나 새벽상을 차리며 하루를 시작하셨던 "어머니 목소리"가 들리는 듯하다. 그 어머니처럼 새와 개미와 벌에게까지 "단맛 다 퍼주고/날것들 안아"주는 꽃사과야말로 모성을 품은 비유체로서 손색이 없다. "제 몸 다 허물어지며/웃고 있는 저 마음"이야말로 어머니 새벽상처럼 "햇살 아래 한상 가득" 볼 패인 사랑을 건네고 있지 않은가. 그렇게 시인이 관찰하고 표현해가는 "비울 것 많고 남은 정"(「불면不眠 소나타」) 마저 건네주는 사랑의 방식이 눈부시게 다가온다.

이처럼 박종명 시인은 가장 근원적인 질서이자 힘으로서의 모성적 상상력 안에서 오랜 시간을 관통하여 새롭게 태어나는 신생의 기운을 발견하고 표현해간다. 이 모든 생명은 사실 시인 자신이 써가는 '시詩'의 은유적 등가물이기도 할 것이다. 결국 우리는 박종명 시편을 통해 인간이 인위적으로 그어 놓은 '순간/영원', '삶/죽음' 등의 대립적 표지標識들이 지워졌을 때의 자유로움을 경험한다. 그 자유로운 신생의 순간을 생명의 속성이자 원리로 그려가는 사례를 통해 우리는 이 시대의 불모성과 교감 단절 양상에 대한 유력한 미학적 항체를 안아들이게 된다. 박종명의 시는 이러한 생명 현상에 대한 지극한 긍정과 사랑을 보여주는 사례로 한없이 우뚝할 것이다.

4. 역사적 사례에서 추출하고 기록해가는 정신의 힘

어차피 기억이란 지나간 시간을 향하는 것이겠지만, 어쩌면 그것은 삶의 현재형을 지탱하고 이끌어가는 심연이자 원형으로 다가오기도 한다. 그래서 많은 이들의 기억은 살아온 날들에 대한 회상이자 살아갈 날들의 힘으로 거듭나게 된다. 박종명 시인은 이러한 기억의 힘을 빌려 자신의 정신을 새롭게 세워간다. 자신의 시편을 구성하는 확연한 구심이 견결하고 반듯한 삶의 태도에 있기를 희원하는 시인으로서, 역사적 사례에서 정신의 전범典範들을 추출하고 흠모하고 또 기록해가는 것이다. 그의 시편들이 절제와 균형의 미학을 벼리는 에너지에 의해 다채로운 미학적 변용을 이루어가는 데에는 이러한 정신의 힘이 매우 중요한 작용을 한다고 보아야 할 것이다. 그 근원적 기율이 바로 '역사歷史'에 대한 남다른 기억에 있었던 셈이다.

옥중 청년의 눈빛, 청청한
시월 남한산성
먼 하늘 그리메

마취 없이 생인손 고름 짜내며
떠올렸던 따르고픈 기운

"만해 선생님은 뼈를 깎는 수술에도
마취 없이 신음 한 번 내지 않았답니다."

문학소녀셨군요
의사의 너털웃음

고통을 마주하는 순간
만해를 만났다

빛의 기억

시월 신바람으로
만해 선생 만나러 간다

—「만해 선생」 전문

만해 한용운 선생은 일제강점기의 어두움을 밝힌 시인이요 독립운동가요 개혁적 선승이었다. 그가 지상에 남긴 "옥중 청년의 눈빛"이 "청청한/시월 남한산성/먼 하늘 그리메"에 서려 있다. 언젠가 마취 없이 생인손 치료를 받을 때 시인은 만해 선생이 마취 없이 수술을 받으면서도 신음 한 번 내지 않았다는 일화를 떠올린다. 그렇게 고통을 마주하는 순간에 만난 만해 선생에게서 시인은 "빛의 기억"을 되살리고 있는 것이다. 그렇게 시인은 만해 선생 생애에서 "이국에서 노숙하는"(「창밖을 읽는 밤」) 고단함을 읽고 "하늘과 땅을 잇는 고행의 시간"(「데스마스크」)을 발견하기도 한다. 이 모든 것이 '시인 박종명'의 정신적 지표를 굳건하게 마련해가는 과정일 것이다.

청시靑柿의 시인은 가도
홍시는 시월의 언어로 달려있다

푸른 하늘 아래
떫고 시큼한 생각을 물고

가을바람이
작은 뜨락 휘돌아 지나가는
소사리 마을
초가지붕 참새 떼

이국에서 온 시인들의 가슴에
홍시가 터진다

—「시 익는 마을—창원 김달진 시인 생가에서」 전문

이번에는 불가의 정신을 높은 경지에서 시화해간 시인 김달진 선생을 호출하였다. 시집 『청시靑柿』를 남긴 김달진 선생의 생가에서 쓴 작품이다. 그곳에는 아직도 홍시가 시월의 언어로 남아있는데, 푸른 하늘 아래 천천히 불어오는 가을 바람 속에서 시인은 "이국에서 온 시인들의 가슴"에 터지는 홍시 빛깔 빛을 바라보고 있다. 그렇게 시 익는 마을에서 시인은 자신이 써가는 시야말로 "꽃잎 받던 눈가에 그리움 고일 때"(「숨 멈출 때」) 찾아오는 손님 같은 것이고, 궁극적으로 사랑하는 이들에게 "오늘은/시 한 모금"(「코로나19 수칙」) 건네는 순간을 가능하게 해준다고 고백해간다.

북향집
독서처

작아야 들리는 가르침, 읽고 또 읽으며 길을 열었다
북두성 된 정조대왕 할아버지 만나 퍼뜩 정신이 난 걸까

궁궐 깊숙한 곳
단청 없는 작은 문 활짝 열어
초록 숲 들여놓고
숲에 이는 바람, 시간을 배우다가

창덕궁 첩첩 전각 바라보며
북두의 길을 찾던 효명세자

천하가 품지 못한
오뚝한 콧날
꿰뚫는 눈빛
북두보다 더 큰 꿈을 품었을까

—「북두에 의지한 누각에서」 전문

"북향집/독서처"에서 오래도록 배우면서 길을 열어간, 그

리고 궁궐 깊은 곳에서 단청 없는 문 열어 숲 들여놓고 거기서 오랜 시간을 배우던 효명세자의 꿈을 좇아간 작품이다. 천하가 품지 못한 효명세자의 "북두보다 더 큰 꿈"을 두고 시인은 북두에 의지한 누각에서 역사의 뼈아픔과 새롭게 움터오는 시간을 동시에 맞이한다. 이 모든 것이 "난파선을 향해 보내는 신호"(「자기 공명 영상」)처럼 우리의 현실을 위안하고 또 치유해주는 원형질로 도약해가고 있는 것이다.

이처럼 시인은 역사적 사례에서 추출하고 기록해가는 정신의 힘을 통해 현실을 이겨나가는 회귀적 항체의 역할을 키워가기도 하고, 일종의 공공성을 띤 역사적 의미의 그리움으로 한 걸음 나아가기도 한다. 그러한 열망을 현재화하고 구체적 삶의 실현으로 이어가기 위해 시인은 스스로의 모본模本을 역사 사례에서 얻어간 것이다. 그러한 열망이 현실에 안착될 때까지 그의 시쓰기는 오래도록 지속되어갈 것이다. 박종명 시인은 역사에서 빛을 발하는 인물을 통해 정신의 실현과 구축을 바라면서 자신이 써가는 시의 토양으로 삼았다. 이제 그의 그러한 열망과 그리움은 고유한 온기와 빛을 잃지 않고 우리 시단을 우뚝하게 밝혀줄 것이다.

5. 타자 지향의 마음과 시인으로서의 자의식

나아가 박종명 시인은 대상에 대한 수평적 확산을 꾀하면서 동시대의 타자로 시선을 옮겨가는 순간을 만나게 해준다. 서정시가 구현할 수 있는 시간예술로서의 속성을 충실하게 채워가면서도 타자라는 외부의 축을 정성스럽게 구성해간다. 이처럼 서정시가 오랫동안 지켜온 존재론적 기율로서 타자를 재구再構하는 데 심혈을 기울이는 시인은 자신을 존재케 해준 동력으로서의 외인外因을 탐구하면서 동시에 스스로의 내면에 일어나는 시인으로서의 자의식 탐구에도 진력하는 모습도 보여준다. 말하자면 시인은 '시쓰기'의 정체성이랄까 하는 것들을 고민하면서 결국 '시를 쓴다는 것은 무엇인가?'라는 원형적 질문에 가닿게 되는 것이다. 이제 그 사례들을 검토해보자.

사진 속 펼쳐진 책이 말을 걸어온다

가운데 책장이 둥글게 말아져 만나니 딱 하트 모양이다
하트 갈피 사이 박주가리 씨앗이 솜털 같은 날개를 펴고 있다
책과 씨앗 외에 아무것도 등장하지 않는 사진이
조곤조곤 이야기한다

안녕, 파킨슨
느리고 둔하게 멀어진 일상이지만
책갈피 사이 마음을 모으니 흔들리지 않는 중심이 생긴다고
마음이 기울 때 두 손을 잡으라고

주체할 수 없이 떨리는
내 손 아닌 남의 손 쥐고
밤새도록 공들인 숨결이
탁자 위에서 호흡을 고르고 있다

펼쳐진 책갈피마다 내려앉은 마음

미완의 설렘으로
날갯짓하는
누군가의 깊숙이 숙인 아침 인사를 듣는다

—「안녕, 파킨슨」 전문

시인은 파킨슨병을 앓고 있는 하트작가 유병완 사진전에 들렀던 기억을 통해 우리 주위에서 만날 수 있는 수많은 고통과 함께하는 모습을 보여준다. 가령 그 과정은 "느리고 둔하게 멀어진 일상"이지만 마치 사진 속 책이 말을 걸어오듯이 우리의 삶을 구성하는 친숙한 시간이기도 하다. 하트 갈피 사이 씨앗이 솜털 같은 날개를 편 장면에서 시인은 바로 그 사진이 조곤조곤 들려주는 이야기를 듣게 된다. "안녕, 파킨슨" 하는 인사가 오히려 "흔들리지 않는 중심"을 가져다주는 순간이다. 앞으로도 시인은 마음이 기울어갈 때 잡으라고 건넨 그 손길을 잊지 않을 것이다. 펼쳐진 책갈피마다 만나게 된 그 "미완의 설렘"으로 "안녕, 파킨슨" 하는 아침 인사를 듣는 시인의 마음에 파킨슨은 비언어적 소통을 가능케 해주는 역설적 조건이 되어준 것이다. 그렇게 박종명 시인의 시선에는 "아직 여기에 있는/투명인간"(「동대문 임대주택 C씨」)이나 "가슴 속 머금은 꽃망울/짙붉은 웃음으로 당차게 피워올리는/내 친구 명자"(「내 친구 명자」), 그리고 "지하에서 지상으로 뛰어올라 오롯이 차오른"(「꼽등이와 모과」) 존재자들이 스스럼없이 들어오고 시인은 그들의 삶을 온기 있게 재현하고 안아들이는 넓은 국량局量을 보여준 것이다.

립스틱, 귀걸이 한 짝, 담배꽁초 4,213개,

첫사랑을 스쳐간 물건을 모은
케말 씨의 순수 박물관*
처절하고 집요한 위로

필기구와 잔돈 통, 안경,
단어 428,652개, 저서 185권,
쓰고 지우며 경계를 넘어선
1주기 추모전, 이어령의 서序

나의 서재,
미완의 시 한 편

―「미완의 서재」 전문

시인이 방문한 박물관은 작가가 작중 인물의 첫사랑을 스쳐간 물건을 모아놓았다. 그 처절하고 집요한 위로 앞에서 시인은 "쓰고 지우며 경계를 넘어선" 그의 생애를 바라본다. 결국 쓴다는 행위는 경계를 넘어서는 일일 것이다. 그 점에서 "나의 서재"는 아직 경계를 넘어서지 못한 "미완의 시 한 편"일 뿐이다. 그 "미완의 서재" 앞에서 스스로를 '시인'으로 규정하고 다짐하는 '시인 박종명'의 내면적 자의식이 돌올하기만 하다. 이처럼 시인이 우리에게 보여주는 인상적 모습은 그가 생각하는 '시詩'가 삶의 고통을 통해 다다르는 영혼의 형식이라는 점에 있을 것이다. 그래서 그에게 '시'는 미적 자율성을 띠는 독립적 언어 양식이 아니라, 철저하게 자신의 삶이 거느린 고통과 사랑에 의해 경계를 넘어서는 운동인 셈이다.

이렇듯 박종명 시인은 타자 지향의 마음과 시인으로서의

충일한 자의식으로 시쓰기의 확장과 심화를 거듭해가고 있다. 이러한 시인의 면모는 역사적 인물 탐구와 함께 박종명 시학의 지경을 하염없이 넓혀주고도 남음이 있을 것이다. 그리고 이러한 지향 또한 근원적 순수 원형을 찾아가는 그의 시적 여정을 밝혀주는 든든한 불빛이 되어줄 것이다.

6. 은은한 질감과 예기銳氣 그리고 역동적 서정

원래 서정시는 자기 표현 과정을 통해 시인 스스로의 의식과 무의식을 첨예하게 드러내는 언어예술이다. 이때 시인의 사유와 감각을 구성하는 것은 시인 자신이 겪어낸 원체험原體驗이고 그것을 표현하는 원리는 삶을 순간성으로 파악해내는 시인의 능력에 있을 것이다. 이러한 사유와 감각이 다양한 문양으로 번져가는 박종명의 이번 시집은 그 점에서 지성적이고 상징적인 차원을 동시에 지향하는 언어적 거소居所로 우리를 찾아온다. 일찍이 프랑스 시인 폴 발레리는 "숭고한 아름다움에 대한 인간의 열망"이라고 서정시의 표현 원리를 암시한 바 있는데, 그렇게 반짝이는 사유와 감각을 통해 박종명 시인은 숭고한 차원으로 도약하려는 존재론적 열망을 토로해간다. 이때 그의 상상력은 단순한 회고 취미나 자연 예찬이나 이념 지향으로 흐르지 않고, 삶의 가장 근원적인 가치들에 대한 탐색을 오롯이 수행해가게 된다. 그 안에는 세상의 밝고 아름다운 경이로움과 신비로움이 그득하게 들어 있다.

손녀,
오늘은 뭐야?
과일 접시 뚜껑을 여니
하하하 딸기코 삐에로가
졸린 눈으로 웃고 있다
하트 모양 감꽃 위
사과 나비, 블루베리 더듬이
새콤달콤 아침 인사
어제는 바나나 기차가
까만 바퀴 달고
블.루.베.리 달렸는데
와 신기하다
삐에로 눈이 커졌다

할머니,
오늘은 뭘 꾸미지?
세모 토끼, 네모 유리창, 동그라미 애벌레
눈 비비고 기대하는 손녀의 아침
환하게 밝아오기를
두근두근 설레는 할머니 눈도
삐에로

—「굿모닝, 삐에로」 전문

이번 시집의 표제작이기도 한 이 시편은 시인 자신이 나눈 손녀와의 상상적 대화를 옮겼다. 손녀가 건네는 질문 "오늘은 뭐야?"에 대한 응답은 "딸기코 삐에로가/졸린 눈으로 웃고" 있는 과일 접시다. 삐에로 눈이 커져버린 그 접시 안의 세목이 시인을 신기롭게 만든다. 할머니도 "오늘은 뭘 꾸미지?" 하면서 "세모 토끼, 네모 유리창, 동그라미 애벌레" 등을 만날 아침을 기다린다. 이렇게 손녀나 할머니나 모두 두근두근 설레는 마음으로 아침을 기다리는 "굿모닝, 삐에로"의 마음이야말로, "꼬마 피아니스트의 꿈이 숨바꼭질하는 책"(「손때 묻은 바이엘 교본」)처럼, 이번 시집의 모성적, 정신적 가치를 집약하는 듯하다.

박종명의 시는 이처럼 일견 동심童心의 확연한 바탕 위에서 씌어지기도 한다. 아닌 게 아니라 이번 시집은 그러한 천진성과 투명성이 선명한 근저를 이루고 있기도 하다. 그만큼 시인은 새로운 것의 발굴보다는 우리가 효율성의 늪에 빠져 잊어버린 가치나 원리에 대한 회복에 공력을 들인다. 우리가 세상의 속도와 새것을 향한 압력에 의해 잊어버린 것은 아마도 근원에 대한 관심이 아닐까 한다. 이때 '근원'이란 형이상학에 대한 충동보다는 인간 본래의 위의威儀랄까 존재 근거에 대한 성찰에서 유추되는 정체성을 함의하는 것이다. 이러한 근원적인 것을 탈환해가는 상상력은 서정시가 이미 오랫동안 쌓아온 기율일 터인데, 박종명의 시는 이러한 것들을 복원하고 현대적으로 변용하는 일에 크나큰 심혈을 기울여온 것이다.

우리가 천천히 읽어온 것처럼, '시인 박종명'의 언어는 지나온 시간에 대한 일방적 미화나 퇴행 욕구에서 발화되지 않고, 시간의 흐름을 삶의 불가피한 실존적 형식으로 받아들이면서 거기서 비롯되는 유한자有限者로서의 겸허함을 보여주는 데서 피어난다. 그러한 과정을 통해 삶에 대한 확연한 역상逆像으로서의 매혹을 보여주는 것이다. 그의 시에 나타나는 그러한 매혹은 가혹한 절망이나 달관으로 빠져들지 않고, 세계내적 존재로서 가지는 고유한 긴장과 성찰을 제공하고 있다. 또한 그것은 소박한 인생 긍정이나 시간 자체에 대한 외경으로 나아가지 않고, 시간의 흐름에 따라 지워져가는 삶의 흔적을 궁극적으로 긍정해가는 기저基底를 이루기도 한다. 시집 『굿모닝, 삐에로』는 그렇게 근원적인 순수 원형을 찾아가는 서정의 기록으로 오랫동안 기억될 것이다.

또한 박종명은 이러한 자기 확인의 절실함 외에도 세계의 근본 이치를 탐구하고 해석해가는 인지적 충동의 순간도 아름답게 보여주는 시인이다. 그 점에서 그의 시는 그만의 은은한 질감과 예기銳氣 그리고 역동적 서정을 함께 품고 있다 할 것이다. 그만큼 그는 단순한 도취적 몽환이나 회상을 넘어 내면과 외계를 이어주는 고유한 서정시의 기능을 완결성 있게 구축해간다. 자신의 고유한 경험으로부터 시를 생성하면서도 세계와 소통하는 '다른 풍경'을 상상함으로써 우리로 하여금 주체와 세계가 형성하는 접점을 풍요롭게 경험하게끔 해준 것이다. 이처럼 탁월하고도 선명한 성과를 거둔 이번 제3시집 출간을 진심으로 축하드리면서, 박종명 시인의 이러한 지향과 성취와 다짐이 많은 이들과 함께 감동의 시간을 누리게 되기를, 마음 깊이, 희원해본다.

박종명
서울 출생.
고려대학교 국어국문과 졸업.
2010년『심상』으로 등단.
시집『사랑 한번 안 해본 것처럼』,『봄을 타나요』.
2024년 조지훈문학상 수상.

서정시학 시인선 215
굿모닝, 삐에로

2024년 3월 20일 초판 1쇄 발행
2024년 5월 4일 2쇄 발행
2024년 11월 20일 3쇄 발행

지 은 이 · 박종명
펴 낸 이 · 최단아
편집교정 · 정우진
펴 낸 곳 · 도서출판 서정시학
인 쇄 소 · ㈜ 상지사
주 소 · 서울시 서초구 서초중앙로 18, 504호 (서초쌍용플래티넘)
전 화 · 02-928-7016
팩 스 · 02-922-7017
이 메 일 · lyricpoetics@gmail.com
출판등록 · 209-91-66271

ISBN 979-11-92580-26-5 03810

계좌번호: 국민 070101-04-072847 최단아(서정시학)
값 13,000원

* 잘못된 책은 바꾸어 드립니다.

서정시학 시인선

001 드므에 담긴 삽 강은교, 최동호

002 문열어라 하늘아 오세영

003 허무집 강은교

004 니르바나의 바다 박희진

005 뱀 잡는 여자 한혜영

006 새로운 취미 김종미

007 그림자들 김 참

008 공장은 안녕하다 표성배

009 어두워질 때까지 한미성

010 눈사람이 눈사람이 되는 동안 이태선

011 차가운 식사 박홍점

012 생일 꽃바구니 휘 민

013 노을이 흐르는 강 조은길

014 소금창고에서 날아가는 노고지리 이건청

015 근황 조항록

016 오늘부터의 숲 노춘기

017 끝이 없는 길 주종환

018 비밀요원 이성렬

019 웃는 나무 신미균

020 그녀들 비탈에 서다 이기와

021 청어의 저녁 김윤식

022 주먹이 운다 박순원

023 휼소리 여행 김길나

024 오래된 책 허현숙

025 별의 방목 한기팔

026 사람과 함께 이 길을 걸었네 이기철

027 모란으로 가는 길 성선경

029 동백, 몸이 열릴 때 장창영

030 불꽃 비단벌레 최동호

031 우리시대 51인의 젊은 시인들 김경주 외 50인

032 문턱 김혜영

033 명자꽃 홍성란

034 아주 잠깐 신덕룡

035 거북이와 산다 오문강

036 올레 끝 나기철

037 흐르는 말 임승빈

038 위대한 표본책 이승주

039 시인들 나라 나태주

040 노랑꼬리 연 황학주

041 메아리 학교 김만수

042 천상의 바람, 지상의 길 이승하

043 구름 사육사 이원도

044 노천 탁자의 기억 신원철

045 칸나의 저녁 손순미

046 악어야 저녁 먹으러 가자 배성희

047 물소리 천사 김성춘

048 물의 낯에 지문을 새기다 박완호

049 그리움 위하여 정삼조

050 샤또마고를 마시는 저녁 황명강

051 물어뜯을 수도 없는 숨소리 황봉구

052 듣고 싶었던 말 안경라

053 진경산수 성선경

054 등불소리 이채강

055 우리시대 젊은 시인들과 김달진문학상 이근화 외

056 햇살 마름질 김선호

057 모래알로 울다 서상만

058 고전적인 저녁 이지담

059 더 없이 평화로운 한때 신승철

060 봉평장날 이영춘

061 하늘사다리 안현심

062 유씨 목공소 권성훈

063 굴참나무 숲에서 이건청

064 마침표의 침묵 김완성

065 그 소식 홍윤숙

066 허공에 줄을 긋다 양균원

067 수지도를 읽다 김용권

068 케냐의 장미 한영수

069 하늘 불탱 최명길

070 파란 돛 장석남 외

071 숟가락 사원 김영식

072 행성의 아이들 김추인

073 낙동강 시집 이달희

074 오후의 지퍼들 배옥주

075 바다빛에 물들기 천향미

076 사랑하는 나그네 당신 한승원

077 나무수도원에서 한광구

078 순비기꽃 한기팔

079 벚나무 아래, 키스자국 조창환

080 사랑의 샘 박송희

081 술병들의 묘지 고명자

082 악, 꽁치 비린내 심성술

083 별박이자나방 문효치

084 부메랑 박태현

085 서울엔 별이 땅에서 뜬다 이대의

086 소리의 그물 박종해

087 바다로 간 진흙소 박호영

088 레이스 짜는 여자 서대선

089 누군가 잡았지 옷깃 김정인

090 선인장 화분 속의 사랑 정주연

091 꽃들의 화장 시간 이기철

092 노래하는 사막 홍은택

093 불의 설법 이승하

094 덤불 설계도 정정례

095 영통의 기쁨 박희진

096 슬픔이 움직인다 강호정

097 자줏빛 얼굴 한 쪽 황명자

098 노자의 무덤을 가다 이영춘

099 나는 말하지 않으리 조동숙

100 닥터 존슨 신원철

101 루루를 위한 세레나데 김용화

102 골목을 나는 나비 박덕규

103 꽃보다 잎으로 남아 이순희

104 천국의 계단 이준관

105 연꽃무덤 안현심

106 종소리 저편 윤석훈

107 칭다오 잔교 위 조승래

108 둥근 집 박태현

109 뿌리도 가끔 날고 싶다 박일만

110 돌과 나비 이자규

111 적빈赤貧의 방학 김종호

112 뜨거운 달 차한수

113 나의 해바라기가 가고 싶은 곳 정영선

114 하늘 우체국 김수복

115 저녁의 내부 이서린

116 나무는 숲이 되고 싶다 이향아

117 잎사귀 오도송 최명길

118 이별 연습하는 시간 한승원

119 숲길 지나 가을 임승천

120 제비꽃 꽃잎 속 김명리

121 말의 알 박복조

122 파도가 바다에게 민용태

123 지구의 살점이 보이는 거리 김유섭

124 잃어버린 골목길 김구슬

125 자물통 속의 눈 이지담

126 다트와 주사위 송민규

127 하얀 목소리 한승헌

128 온유 김성춘

129 파랑은 어디서 왔나 성선경

130 곡마단 뒷마당엔 말이 한 마리 있었네 이건청

131 넘나드는 사잇길에서 황봉구

132 이상하고 아름다운 강재남

133 밤하늘이 시를 쓰다 김수복

134 멀고 먼 길 김초혜

135 어제의 나는 내가 아니라고 백 현

136 이 순간을 감싸며 박태현

137 초록방정식 이희섭

138 뿌리에 관한 비망록 손종호

139 물속 도시 손지안

140 외로움이 아깝다 김금분

141 그림자 지우기 김만복

142 The 빨강 배옥주

143 아무것도 아닌, 모든 변희수

144 상강 아침 안현심

145 불빛으로 집을 짓다 전숙경

146 나무 아래 시인 최명길

147 토네이토 딸기 조연향

148 바닷가 오월 정하해

149 파랑을 입다 강지희

150 숨은 벽 방민호

151 관심 밖의 시간 강신형

152 하노이 고양이 유승영

153 산산수수화화초초 이기철

154 닭에게 세 번 절하다 이정희

210 **시간의 길이** 유자효

211 **속삭임** 오탁번

212 **느닷없이 애플파이** 김정인

213 **탕탕** 석연경

214 **수평선은 물에 젖지 않는다** 동시영